LES MERVEILLES DE LA SCIENCE

Le livre des expériences que tu peux faire chez toi

Auteur	Andrew Vowles, B.Sc.
Concepteur	Rick Rowden
Illustrateurs	Tim O'Halloran
	Terry Winik
Traductrice	Martine Gagnon-Oosterwaal

Copyright © Hayes Publishing Ltd., 1985.

ISBN 0-88625-209-1

Titre original: The Hayes Book of Amazing Experiments You Can Do At Home

1re impression 1986   Imprimé à Hong-Kong

CHP BOOKS

3312 Mainway, Burlington, Ontario, L7M 1A7 Canada
2045 Niagara Falls Blvd., Unit 14, Niagara Falls, New York, 14304 U.S.A.

INTRODUCTION

Qu'est-ce qui fait décoller une fusée? Quelle est la force de la pression atmosphérique? D'où vient l'arc-en-ciel?

Comment répondre à toutes les questions que tu te poses sur les choses qui t'entourent? Les sciences peuvent t'aider, car qui dit sciences dit expériences et c'est en expérimentant que l'on apprend. Ce livre ne possède pas toutes les réponses; en fait, de nouvelles questions te viendront à l'esprit tout au long de tes expériences. Cela fait partie du processus d'apprentissage.

Tu découvriras comment utiliser la nature pour naviguer, voir le son, grossir des pièces de monnaie et même prédire le temps qu'il fera. Les expériences suggérées dans LES MÉRVEILLES DE LA SCIENCE sont faciles et sans danger. Tu trouveras probablement le matériel nécessaire chez toi. Suis les instructions attentivement. Pour réaliser certaines expériences, tu devras to servir d'allumettes et de produits chimiques; demande l'aide de papa ou maman pour plus de sécurité.

Fais participer tes amis et tes découvertes scientifiques seront d'autant plus passionnantes. En fait, nombre d'expériences dans LES MERVEILLES DE LA SCIENCE sont plus faciles à exécuter en groupe. Certains «trucs de magie» réussiront à étonner tes amis.

Tu feras des découvertes tout en t'amusant grâce aux MERVEILLES DE LA SCIENCE.

Tu pourras te procurer les choses suivantes dans une quincaillerie ou dans un magasin spécialisé:

- une pile de lampe de poche de 4,5v (si tu n'en as pas déjà une à la maison)
- une ampoule de 3,5v et une douille
- du fil de cuivre recouvert
- une pile sèche
- de petits miroirs rectangulaires
- des prismes
- des cure-pipes

Dans la cuisine de maman:

- du bicarbonate de soude
- du vinaigre

Utilise une vitre de cadre pour l'expérience des Lapins magiques.

TABLE DES MATIÈRES

LE COURANT ÉLECTRIQUE

Appuie sur le commutateur. La lumière se fait presque de façon magique. Cela fonctionne grâce à l'électricité tout comme ta chaîne stéréo, ton téléviseur ou ton microordinateur. Mais comment fonctionne l'électricité?

Matériel:
- une pile de lampe de poche de 4,5v
- une ampoule de 3,5v et une douille (tu peux te procurer ces objets dans une quincaillerie)
- 3 morceaux de fil de cuivre
- un petit tournevis
- un couteau

1. Avec le couteau, enlève 2cm de plastique aux extrémités des fils.
2. Relie une extrémité du fil à la première borne de la pile et l'autre extrémité à la seconde borne.
3. Relie un de ces fils à l'une des vis de la douille. Attache les fils solidement à l'aide d'un tournevis.
4. Il te reste un morceau de fil. Relie-le à l'autre vis de la douille.
5. Il devrait y avoir deux extrémités libres maintenant: l'une provenant de la pile et l'autre, de la douille. Relie-les. Que se passe-t-il? Si l'ampoule ne s'allume pas, vérifie si les connexions sont bien solides.

Si tu as plus d'un support d'ampoule, essaie de les relier afin que les ampoules s'allument toutes. Que se passe-t-il si l'une des ampoules n'est pas fixée solidement dans le support?

Tiens les deux fils libres au bout de différents objets. Par example, une cuillère, une bougie, une pièce de monnaie, un crayon ou tout autre objet de ton choix. Cela fonctionne-t-il mieux quand les objets sont en métal? C'est pourquoi l'intérieur de beaucoup de fils est en métal, car les meilleurs conducteurs d'électricité se trouvent parmi les métaux. Quel est le métal utilisé pour conduire l'électricité dans les fils?

Oh là là!
C'est brillant!
Quel bon truc!
Comment cela fonctionne-t-il?

L'électricité est la circulation
de fines particules dans les fils.
Ces fils conduisent l'électricité dans tout
le circuit, d'une borne de la pile à l'autre.
Mais ce parcours ne doit pas être interrompu.
Si tu débranches, tu arrêtes la circulation
de l'électricité.

AU FAIT
Une guirlande de lumières de Noël
fonctionne selon le même principe
qu'une série de supports d'ampoules.
Si une des ampoules est mal ajustée
dans le support, le circuit
en entier ne fonctionne pas.
La prochaine fois, si ta
guirlande de lumières
ne fonctionne pas,
vérifie si l'une des ampoules
est mal ajustée.

L'ÉLECTRICITÉ STATIQUE

Si tu portes des chaussettes, frotte tes pieds sur un tapis, puis touche à une poignée de porte. Tu ressens l'effet de l'électricité statique qui se trouve dans le tapis. Mais comment l'électricité statique passe-t-elle de ton doigt à la poignée de porte?

FABRIQUE UN ÉLECTROSCOPE

Matériel:
- un bocal en verre
- un trombone
- un brin de guirlande de Noël argentée
- des ciseaux
- un stylo
- un gilet

1. Déplie le trombone tel qu'illustré et accroche-le à l'intérieur du bocal. Coupe un petit morceau de guirlande et dépose-le sur le trombone.

2. Frotte vivement le stylo sur ton gilet. (Tu es en train de charger le stylo).

3. Touche au trombone avec le stylo. Qu'arrive-t-il au brin de guirlande?

VOICI POURQUOI: Le brin de guirlande reçoit une décharge électrique. Quand tu frottes le stylo, celui-ci reçoit beaucoup de charges négatives, ou d'électricité statique, qu'elle conserve jusqu'à ce qu'elle puisse s'en débarrasser. Le trombone et le brin de guirlande qui ont des charges positives attirent les charges statiques négatives.

Si tu approches ta baguette magique de bouts de papier, d'une balle de ping-pong, d'un bol de riz croustillant ou d'un filet d'eau du robinet, les charges négatives contenues dans le stylo sautent vers ces objets, car ils sont neutres; ils ne contiennent aucune charge électrique.

Les objets qui contiennent le même type de charge se repoussent. Pourquoi les extrémités du brin de guirlande se repoussent-elles quand elles entrent en contact avec l'électricité statique? Est-ce que tu pourrais transformer un peigne ou une règle de plastique en une baguette magique?

LES LAPINS MAGIQUES

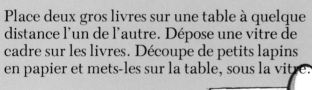

Tu peux te servir de lapins pour démontrer la magie de l'électricité statique. Non pas en les faisant sortir d'un chapeau, mais en les faisant sauter quand bon te semble!

Place deux gros livres sur une table à quelque distance l'un de l'autre. Dépose une vitre de cadre sur les livres. Découpe de petits lapins en papier et mets-les sur la table, sous la vitre.

Concentre-toi et marmonne quelques mots magiques pour le plaisir de tes spectateurs. Frotte la vitre avec de la soie ou de la flanelle. Le tour est joué! Les lapins s'animent.

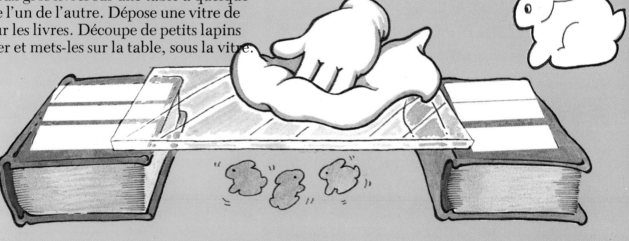

VOICI POURQUOI: Quand tu frottes la vitre, elle se charge d'électricité statique et attire ainsi les lapins. Or, en collant à la vitre, ils reçoivent le même type de charge que celle-ci. Ils retombent donc sur la table.

SAVAIS-TU?

Si tu pouvais entreposer l'énergie contenue dans un éclair, tu pourrais faire fonctionner un climatiseur pendant deux semaines!

AU FAIT

L'électricité statique s'accumule souvent dans les nuages. Quand il y a suffisamment de charges négatives, celles-ci bondissent au sol en une brillante étincelle. Cette gigantesque étincelle est appelée éclair. Quel type de charge doit-il y avoir au sol?

LES ÉLECTRO-AIMANTS

Les électro-aimants sont très utiles. Beaucoup d'appareils électriques tels que le système d'alarme, les moteurs et les téléphones fonctionnent grâce aux électro-aimants. Qu'est-ce qu'un électro-aimant et comment fonctionne-t-il?

CRÉE TON PROPRE CHAMP DE DÉMOLITION

Matériel:
• un clou en fer
• un mètre de fil de cuivre recouvert
• une pile sèche (disponible dans une quincaillerie)
• des trombones

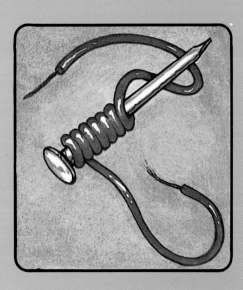

1. Enroule solidement le fil de cuivre autour du clou. Enlève 2cm de plastique aux extrémités du fil.

2. Attache une extrémité du fil à une borne de la pile. Forme une petite boucle à l'autre extrémité du fil et relie-la à l'autre borne de la pile.

Beaucoup de pièces rotatives dans les moteurs fonctionnent grâce aux électro-aimants. Un électro-aimant de ta fabrication te le démontrera. Mets en équilibre une petite assiette en aluminium sur le bout d'une aiguille. Tiens un aimant au bout d'une ficelle au-dessus de l'assiette. Tourne l'aimant sur lui-même une vingtaine de fois, puis lâche-le. Que se passe-t-il? On dirait qu'une force invisible fait tourner l'assiette.

"Dis Ah-ski"

VOICI POURQUOI: L'électricité qui circule dans les fils produit un champ magnétique autour du clou. Beaucoup d'objets en métal tels que les trombones et les punaises sont attirés par l'électro-aimant. Débranche le fil et tu coupes l'électricité.

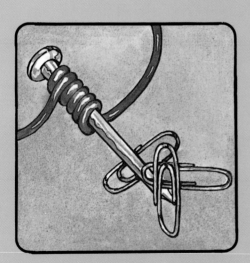

3. Sers-toi du clou pour attirer les trombones. Que dois-tu faire pour débrancher l'électro-aimant? Détache la boucle de fil reliée à la seconde borne de la pile.

ÉCOUTE CECI!

Les électro-aimants sont utiles même en chirurgie. En effet, un garçon russe avait une vis logée dans son poumon. Les médecins conduisirent un électro-aimant dans sa trachée. Quand l'électro-aimant fut bien en place, le courant fut établi et les médecins retirèrent l'électro-aimant auquel la vis était solidement accrochée.

Comment peux-tu renforcer ton électro-aimant? Indice: commence par agrandir le champ magnétique.

9

LENTILLES GROSSISSANTES

SEAU GROSSISSANT

Matériel:
- un seau de plastique (un contenant de crème glacée, par exemple: ta maman ne voudra peut-être pas que tu utilises un bon seau)
- une pièce de monnaie
- un couteau
- de l'emballage en plastique
- de la ficelle
- des ciseaux

La lumière se propage en lignes droites. Observe un rayon de soleil pour t'en rendre compte. Pourtant, il est parfois préférable de faire dévier les rayons lumineux à l'aide de lentilles. Comment une lentille peut-elle te permettre de voir les choses différemment?

VOICI POURQUOI: L'eau a la même forme qu'une lentille. Dommage que ça ne fasse qu'augmenter l'apparence de la pièce de monnaie! L'eau réfracte la lumière vers l'intérieur et la dirige sur la pièce de monnaie. Pourtant, tu vois la lumière comme si elle n'avait pas été réfractée. La pièce de monnaie paraît plus grosse qu'elle ne l'est vraiment.

1. Fais trois trous de la grosseur d'un poing près du fond du seau.
2. Étends la feuille de plastique sur le dessus du seau de façon à ce qu'il y ait un creux au centre. Attache-la solidement au seau à l'aide de la ficelle.
3. Remplis le creux d'eau.
4. Place le seau au soleil. Tiens une pièce de monnaie à l'intérieur du seau par un des trous que tu as percés. Regarde dans le seau et bouge la pièce de monnaie de haut en bas. Que se passe-t-il?

IMAGES À L'ENVERS

Matériel:
- du papier de construction noir
- du papier-calque
- une boîte vide de soupe ou de jus
- du ruban adhésif
- des ciseaux

SAVAIS-TU?

Le microscope qu'utilise un scientifique est une superloupe. Il contient non pas une, mais plusieurs lentilles qui permettent de grossir les objets pour qu'ils puissent être vus à l'oeil nu.

1. Forme un cône en papier de construction et coupe la base de façon à ce qu'elle puisse être insérée dans la boîte. Colle le cône pour qu'il garde sa forme.

2. Trace la base circulaire du cône sur du papier-calque. Découpe le cercle et attache-le à la base.

3. Perce un trou d'épingle dans le fond de la boîte puis insère la base du cône dans la boîte.

4. Regarde par la pointe du cône. Peux-tu voir l'image? Comment peux-tu la mettre au point? Qu'est-ce qui ne va pas?

Si tu regardes la cime d'un grand arbre avec ton cône, la lumière passe directement dans le trou d'épingle et éclaire près du papier-calque. Cependant, lorsque tu regardes le tronc de l'arbre, la lumière qui passe par le trou d'épingle éclaire près du haut. L'image qui se trouve sur le papier est à l'envers.

Comment utiliser l'eau comme une loupe assez petite pour que tu puisses la transporter? Forme une petite boucle avec un fil métallique en l'enroulant autour d'un clou. Plonge cette boucle dans l'eau et regarde à travers.

AU FAIT

Tes yeux sont comparables à des caméras. La lentille de chaque oeil fait converger la lumière de façon à produire une image de ce que tu vois, à l'arrière de ton globe oculaire. Ton cerveau tourne automatiquement l'image à l'endroit.

NAUFRAGE ET FLOTTAISON

Tu peux faire une croisière sur l'océan à bord d'un paquebot gigantesque sans crainte de naufrage. Mais si tu jettes un petit caillou dans l'eau, il coule. Comment se fait-il que certaines choses flottent tandis que d'autres coulent?

COMPTE-GOUTTES EN PLONGÉE

1. Remplis le bocal d'eau jusqu'au bord. Prélève de l'eau à l'aide du compte-gouttes de sorte que celui-ci puisse tout juste flotter. Rajoute de l'eau dans le bocal.

2. Coupe l'embouchure du ballon. Elle ne t'est pas utile. Étends bien le ballon sur l'ouverture du bocal et fixe-le à l'aide d'un élastique et du ruban adhésif.

3. Appuie sur le ballon et le compte-gouttes coulera jusqu'au fond. N'appuie plus et le compte-gouttes flottera.

Matériel:
- un grand bocal de verre
- un compte-gouttes
- un ballon
- un élastique
- du ruban adhésif
- des ciseaux

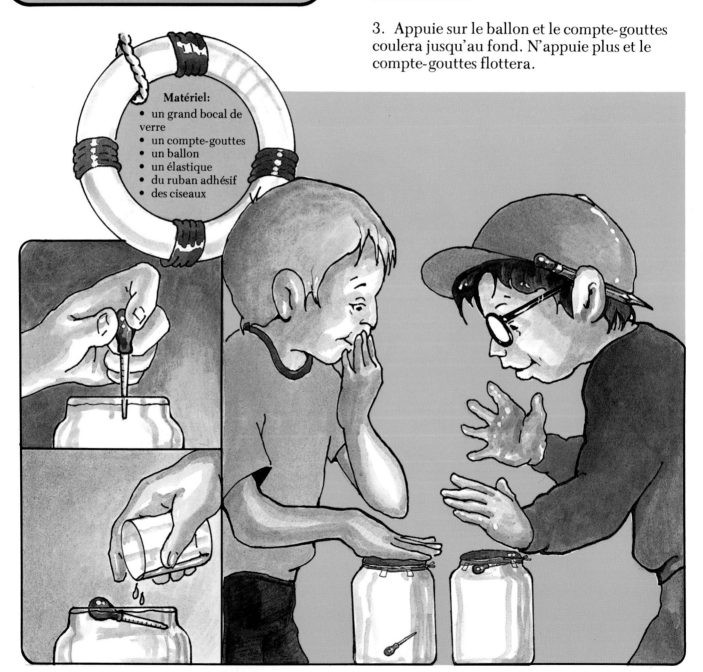

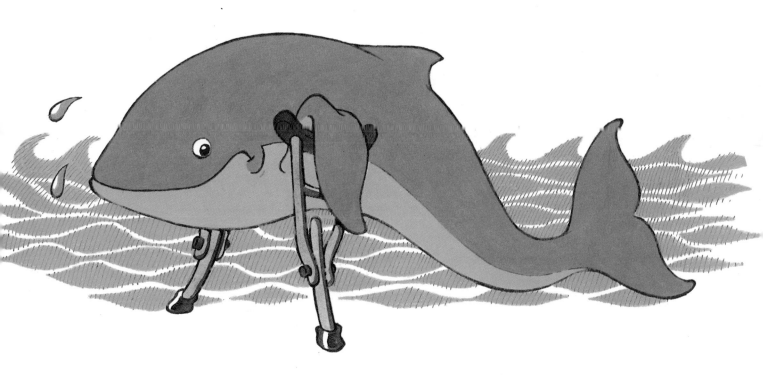

VOICI POURQUOI: L'espace qu'occupe le compte-gouttes dans le bocal fait que l'eau est déplacée ou poussée vers les côtés. Le compte-gouttes flottera s'il est plus léger que l'eau qu'il déplace. Mais quand tu appuies sur le ballon, l'eau que tu fais entrer dans le compte-gouttes l'alourdit. Alors, il s'enfonce parce qu'il est plus lourd que l'eau qu'il déplace.

INCROYABLE!

La baleine bleue est le plus gros mammifère sur terre. Or, si la baleine bleue était un mammifère terrestre muni de pattes, celles-ci ne pourraient supporter un tel poids. La baleine ne peut atteindre sa taille gigantesque que dans les mers où l'eau qu'elle déplace contribue à supporter son corps.

Tiens une balle de ping-pong sous l'eau, puis lâche-la. Pourquoi remonte-t-elle toujours à la surface? Comme la balle est moins lourde que l'eau qu'elle déplace, l'eau peut supporter son poids léger.

Forme une boule avec du papier d'aluminium. Jette-la dans l'eau. Évidemment, elle coule. Maintenant, fabrique un petit bateau avec le papier d'aluminium et mets-le dans l'eau. Le bateau occupe plus d'espace que la boule et, par le fait même, déplace plus d'eau. Suffisamment, en fait, pour en supporter le poids.

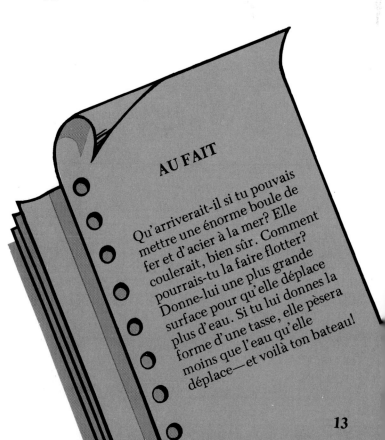

AU FAIT

Qu'arriverait-il si tu pouvais mettre une énorme boule de fer et d'acier à la mer? Elle coulerait, bien sûr. Comment pourrais-tu la faire flotter? Donne-lui une plus grande surface pour qu'elle déplace plus d'eau. Si tu lui donnes la forme d'une tasse, elle pèsera moins que l'eau qu'elle déplace—et voilà ton bateau!

LA COULEUR

Les arcs-en-ciel sont visibles dans le ciel après la pluie, dans une chute d'eau et dans les gouttelettes qui jaillissent d'un boyau d'arrosage. Les couleurs sont toujours les mêmes et elles se trouvent toujours dans le même ordre. D'où viennent les couleurs de l'arc-en-ciel?

Matériel:
- des ciseaux
- une lampe de poche
- un morceau de papier blanc
- deux prismes (tu peux t'en procurer dans une quincaillerie ou dans un magasin spécialisé)

ARC-EN-CIEL ARTIFICIEL

1. Perce un trou d'épingle dans le carton et place le carton verticalement sur la table.
2. Éteins la lumière. Braque le rayon de la lampe de poche sur le trou.
3. Dépose un prisme de l'autre côté du carton, vis-à-vis le rayon lumineux. Place un morceau de papier derrière le prisme de façon à ce que tu puisses voir un arc-en-ciel. Que se passe-t-il quand tu tournes le prisme d'un côté puis de l'autre?

Comme c'est ingénieux! Un arc-en-ciel sans pluie!

FABRIQUE UN KALÉIDOSCOPE

Matériel:
- 3 petits miroirs rectangulaires
- du ruban adhésif
- du papier blanc
- des morceaux de papier de soie de différentes couleurs

1. Forme un triangle avec les miroirs en collant les côtés longs avec du ruban adhésif. Voilà ton kaléidoscope.

2. Place le kaléidoscope verticalement sur un morceau de papier blanc pour en tracer le contour. Découpe le triangle, puis colle-le sur le fond du kaléidoscope.

3. Jette des morceaux de papier de soie de différentes couleurs dans le haut du kaléidoscope, puis regarde à l'intérieur. Secoue-le et tu verras changer les couleurs et les motifs.

L'eau aussi agit comme un prisme. Dans un plat peu profond, verse de l'eau jusqu'à la moitié. À l'intérieur, appuie un miroir sur le bord, face au soleil. Tiens le papier blanc au-dessus. Bouge le miroir jusqu'à ce que les couleurs apparaissent sur le papier.

Prends trois lampes de poche. Sur chacune d'elles, colle un morceau de papier de soie de couleur différente, soit rouge, bleu et vert. Dans une chambre sombre, braque chacune des lampes de poche sur une feuille de papier blanc. Que se passe-t-il quand tu braques les rayons lumineux sur le même point?

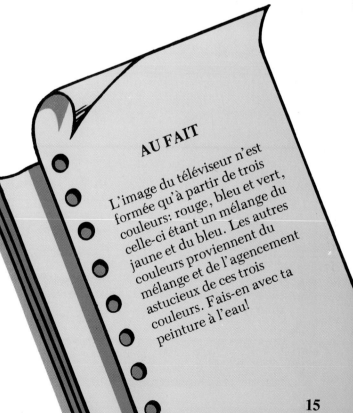

AU FAIT

L'image du téléviseur n'est formée qu'à partir de trois couleurs: rouge, bleu et vert, celle-ci étant un mélange du jaune et du bleu. Les autres couleurs proviennent du mélange et de l'agencement astucieux de ces trois couleurs. Fais-en avec ta peinture à l'eau!

LE CENTRE DE GRAVITÉ

Traverse un ruisseau sur un rondin. Attention! Sers-toi de tes bras pour rester en équilibre. Maintenant que tu es arrivé sain et sauf de l'autre côté, si nous expérimentions?

Matériel:
- deux épingles
- un gros bouchon de liège
- un écrou lourd en métal
- un morceau de carton
- un couteau
- des ciseaux
- un cintre en metal

LE CHEVAL EN ÉQUILIBRE

1. Découpe une tête d'animal en carton. Fais une encoche dans la partie étroite du bouchon de liège afin d'y insérer la tête.

2. Sectionne le cintre comme dans l'illustration. Introduis une extrémité dans le côté du bouchon et passe l'autre extrémité dans l'écrou.

3. Mets 2 épingles en biais dans la partie large du bouchon.

4. Mets ton jouet en équilibre sur les épingles de façon à ce que la queue de métal dépasse la table.

VOICI POURQUOI: Le poids du jouet repose sur l'écrou qui en est le centre de gravité. De plus, il est plus facile d'équilibrer un poids quand le centre de gravité est bas.

Que se passe-t-il lorsque le centre de gravité est trop haut? Dépose un morceau de carton sur un verre en polystyrène et place un gros morceau de pâte à modeler par-dessus. Est-ce que le verre restera en équilibre si tu le mets dans un bol d'eau? Que dois-tu faire pour l'empêcher de tomber? Indice: baisse le centre de gravité du verre.

PRIS AU PIÈGE

**Invite tes amis à réaliser
ces expériences.**

Procure-toi un manche à balai. Accroupis-toi et place le balai sous tes genoux pliés, puis plie tes coudes autour du balai. Dépose une pomme par terre devant toi. Penche-toi vers l'avant en te servant de tes mains pour rester en équilibre. Peux-tu attraper la pomme avec tes dents?

LE SECRET: Ton centre de gravité est juste au-dessus de tes pieds. Quand tu te penches en avant, tu déplaces ton centre de gravité et tu fais la culbute!

Assieds-toi sur une balançoire avec un ami plus lourd que toi. Comment faites-vous pour mettre la balançoire en équilibre? Dis à ton ami d'avancer vers le milieu. Maintenant, le centre de gravité se trouve entre vous deux. Si l'un de vous pousse vers le bas, l'autre ami remontera pour équilibrer la balançoire.

Tiens-toi debout, le côté gauche vis-à-vis un mur. Appuie ton pied et ta joue sur le mur. Peux-tu lever ton pied droit?

LE SECRET: Si tu veux lever ton pied, tu devras porter le centre de gravité à gauche, mais c'est impossible à moins que tu ne déplaces le mur!

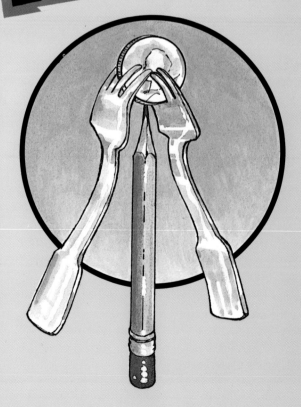

Insère une pièce de vingt-cinq cents entre les dents croisées de deux fourchettes. Place un crayon à la pointe aiguisée sous le vingt-cinq cents. Cela semble impossible; pourtant, la pièce de monnaie est vraiment en équilibre sur le crayon.

DE GRANDS HOMMES DE SCIENCE

INCROYABLE MAIS VRAI!

Nous avons tous entendu parler d'ALEXANDER GRAHAM BELL. L'invention du téléphone l'a certes rendu célèbre mais son oeuvre ne s'arrête pas là. Il a fait d'importantes expériences sur le sonar et le télégraphe. De plus, il s'est intéressé toute sa vie au langage des sourds. En fait, sa femme Mabel Hubbard était sourde.

UN GÉNIE RETARDÉ

THOMAS EDISON passa d'un extrême à l'autre. Nul ne peut nier que ses inventions, qu'il s'agisse du phonographe ou de l'ampoule électrique, furent brillantes. Un employé du Western Union Telegraph avait même dit de lui qu'il était un génie. Or, étant enfant, Thomas Edison souffrait de troubles auditifs et était un vrai petit diable. Il n'avait passé que trois mois à l'école quand un instituteur le renvoya en déclarant qu'Edison était retardé.

UN PAUVRE MILLIONNAIRE

HENRY CAVENDISH, qui découvrit la composition de l'eau en cherchant celle du feu, représentait le chimiste excentrique classique. Cavendish vécut seul, à part une gouvernante à qui il n'adressait jamais la parole: il lui laissait plutôt des petits mots partout dans la maison. En fait il parlait rarement à qui que ce soit et quand cela ce produisait, c'était généralement à propos de sciences. Il ne possédait qu'un ensemble de vêtements à la fois, habituellement démodés depuis longtemps et usés jusqu'à la corde. Pourtant, c'était un des hommes les plus riches d'Angleterre à cette époque: il était multimillionnaire.

DE GRANDS HOMMES DE SCIENCE

UNE VIE BIEN REMPLIE

E = mc2. Cette célèbre équation ne peut être mentionnée sans que l'on ne pense à ALBERT EINSTEIN. Pourtant, dans son enfance, la physique était le dernier de ses soucis. Le jeune Albert n'avait pas beaucoup de succès dans ses études, car il préférait la musique aux sciences. En fait, il devint un violoniste accompli. Toutefois, avec les années, Einstein consacra beaucoup de temps à écrire et à discourir sur la paix et la justice. Ironiquement, la bombe atomique fut découverte grâce aux travaux scientifiques que réalisa Einstein.

UNE ERREUR CÉLÈBRE

ALEXANDER FLEMING, scientifique célèbre grâce à ses expériences sur les microbes et la maladie, fit sa plus grande découverte par erreur! Il oublia un jour de ranger le récipient contenant les bactéries sur lesquelles il faisait ses recherches. Or, le lendemain, il remarqua une étrange moisissure dans le récipient. Il allait jeter le tout quand il décida d'y regarder de plus près. Cette moisissure était en fait de la pénicilline, une substance que l'on utilise aujourd'hui dans le monde entier pour détruire les microbes.

ÉLECTRIFIANT!

BENJAMIN FRANKLIN semble avoir fait un peu de tout. Il était imprimeur, éditeur, écrivain et diplomate. Il participa même à la rédaction de la Constitution des États-Unis. Cependant, une expérience scientifique faillit mettre fin à son oeuvre. Durant un orage, il fit voler un cerf-volant dont la corde était attachée à une clé en laiton. Pas très prudent, dis-tu? Heureusement, il ne fut pas électrocuté. En fait, cette expérience lui permit d'inventer le paratonnerre.

ACTION ET RÉACTION

Si tu sautes d'un canot à la rive, le canot recule sous tes pieds. Et si tu n'es pas prudent, tu tomberas dans l'eau. Pourquoi une action entraîne-t-elle toujours une réaction?

Matériel:
- un tube de cigare vide
- une assiette en aluminium
- deux cure-pipes
- trois bougies
- des allumettes
- du ruban adhésif
- un petit clou
- un couteau

NAVIGUER AVEC LA SCIENCE

1. Enlève le bouchon du tube de cigare et perce un petit trou vers le bord du bouchon à l'aide d'un clou. Verse de l'eau chaude dans le tube jusqu'à la moitié et remets le bouchon.
2. Fixe un cure-pipe autour de chaque extrémité du tube tel qu'illustré ci-bas. Tiens le tube au-dessus de l'assiette et fixe les cure-pipes sur les bords de celle-ci avec du ruban adhésif.
3. Coupe les bougies pour qu'elles puissent être placées dans l'assiette, sous le tube.
4. Fais flotter ton bateau dans la baignoire. Allume les bougies: c'est le départ!

VOICI POURQUOI: La vapeur, en s'échappant par l'arrière du tube, produit une force qui entraîne le bateau vers l'avant. Action. . .réaction!

Comment commences-tu une course à la nage sur le dos dans la piscine? Pourquoi pousses-tu sur le bord de la piscine avec tes pieds?

SAVAIS-TU?

Un appareil dorsal de survie peut aider un astronaute à se déplacer à l'extérieur de la navette spatiale. Les petites explosions de gaz qui s'échappent à l'arrière de cet appareil ont pour effet de pousser l'astronaute vers l'avant. Action. . .réaction!

L'INERTIE

As-tu déjà vu un magicien tirer une nappe sous la vaisselle sans briser une seule assiette? Impossible, dis-tu? Pas vraiment! C'est une façon d'utiliser la force d'inertie. Tu peux, toi aussi, réaliser des prouesses.

1. Dehors, empile les briques dans ton chariot.
2. Tire brusquement sur la poignée pour le faire avancer. Que se passe-t-il? De quel côté les briques tombent-elles?
3. Maintenant, place le chariot près du trottoir ou près d'un mur. Pousse-le assez doucement pour que les briques restent en place, mais suffisamment fort pour qu'elles tombent quand le chariot frappera le mur. De quel côté les briques tombent-elles?

Matériel:
- un chariot (ou une planche à roulettes)
- quelques briques

LE SECRET: C'est grâce à l'inertie que les choses peuvent maintenir l'état de repos ou de mouvement dans lequel elles se trouvent. La première fois que tu as poussé le chariot, la force d'inertie a tenté de maintenir les briques au repos. C'est pourquoi elles sont tombées vers l'arrière quand le chariot était tiré vers l'avant. La seconde fois, cependant, toujours à cause du principe d'inertie, les briques ont continué à avancer même quand le chariot fut immobilisé; elles sont donc tombées vers l'avant.

AU FAIT

Sais-tu ce qu'est le coup du lapin? Si quelqu'un heurte l'arrière de ton automobile en arrêt, ta tête est projetée vers l'arrière. Au moment où l'auto est poussée vers l'avant, la force d'inertie maintient ta tête en arrière.

RÉACTIONS CHIMIQUES

Tu es entouré de choses qui existent grâce aux réactions chimiques: la margarine dont tu tartines tes roties, tes albums de disques et le pétillement dans ta boisson gazeuse . . . En fait, tu ne pourrais pas vivre sans les réactions chimiques qui se produisent continuellement dans ton corps. Mais qu'est-ce qu'une réaction chimique?

PETITS BATEAUX

Matériel:
- une bouteille de plastique au couvercle ajusté
- du bicarbonate de soude
- du vinaigre
- de l'eau
- un mouchoir de papier
- des ciseaux
- de la pâte à modeler
- une paille

2. Introduis la paille dans le trou en ne laissant dépasser qu'un centimètre ou deux. Incline la paille vers le bas. Entoure la paille de pâte à modeler afin de la maintenir en place et d'empêcher l'eau d'entrer dans la bouteille.

1. À l'aide des ciseaux, perce un petit trou dans le fond de la bouteille, près du bord.

3. Verse environ 15ml (1 c. à table) de bicarbonate de soude au centre du mouchoir de papier. Fabrique ensuite une papillote en enveloppant le bicarbonate de soude dans le mouchoir dont tu tourneras les extrémités.

Écris tes messages secrets avec de l'encre invisible! À l'aide d'un pinceau, écris un message avec du jus de citron que tu laisseras sécher afin qu'il devienne invisible. Tiens le papier au-dessus de la flamme d'une bougie dans un mouvement de va-et-vient. Attention! Ne fais pas brûler le papier!

4. Verse environ 60ml (4 c. à table) de vinaigre dans la bouteille puis insère la papillote de bicarbonate de soude. Visse le bouchon rapidement puis dépose ce bateau dans l'eau de la baignoire, et c'est le départ!

VOICI POURQUOI: Le changement chimique provoqué par la chaleur fait que l'encre brunit avant que le papier brûle.

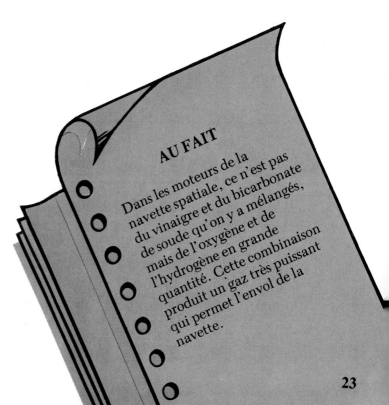

AU FAIT

Dans les moteurs de la navette spatiale, ce n'est pas du vinaigre et du bicarbonate de soude qu'on y a mélangés, mais de l'oxygène et de l'hydrogène en grande quantité. Cette combinaison produit un gaz très puissant qui permet l'envol de la navette.

TRANSMISSION DE LA CHALEUR

Observe bien la chaussée par un jour d'été bien chaud. Qu'est-ce que ce miroitement juste au-dessus du sol? C'est de l'air chaud qui s'échappe. Pourquoi l'air monte-t-il?

Matériel:
- un grand bocal
- une petite bouteille
- de la ficelle
- du colorant végétal

1. Attache la ficelle autour du goulot de la bouteille.
2. Remplis le bocal d'eau froide.
3. Remplis la petite bouteille d'eau chaude et ajoute du colorant végétal jusqu'à l'obtention d'une couleur vive.
4. À l'aide de la ficelle, descends la bouteille dans le bocal. La bouteille doit toucher le fond du bocal en position verticale. Que se passe-t-il?
5. Sors la bouteille et vide-la ainsi que le bocal. Remplis le bocal d'eau chaude et mets de l'eau froide dans la bouteille. Descends de nouveau la bouteille dans le bocal. Cette fois, qu'advient-il du colorant végétal?

VOICI POURQUOI: À mesure que tu chauffes de l'eau, celle-ci se dilate et monte. L'eau froide étant plus lourde, elle va au fond.

L'eau chaude de ma bouteille monte!

Oh! Si nous colorions l'eau du grand bocal, nous pourrions faire un arc-en-ciel!

AU FAIT

L'eau dans ton réservoir est réchauffée par le bas. L'eau chaude monte et circule à travers les tuyaux jusqu'aux robinets. L'eau froide descend au fond et est à son tour réchauffée. Pourquoi ton réservoir d'eau est-il au sous-sol plutôt qu'au grenier?

Même si un verre d'eau chaude ne semble pas intéressant, il s'y passe pourtant beaucoup de choses. Ajoute une pincée de sciure de bois et observe bien le mouvement des particules.

Maintenant, mets de la sciure de bois dans un contenant de verre que tu peux utiliser sur la cuisinière. Demande l'aide de papa ou de maman. Observe bien à mesure que l'eau chauffe. Dès que l'eau du fond chauffe, elle monte en emportant la sciure de bois sur son passage tandis que l'eau plus froide du dessus descend pour être chauffée.

Pourquoi agites-tu la soupe qui cuit avec une cuillère en bois ou en plastique? Tu connaîtras la réponse quand tu toucheras une cuillère en métal que tu auras laissée dans la soupe quelques minutes! En effet, certains objets sont meilleurs conducteurs de chaleur que d'autres.

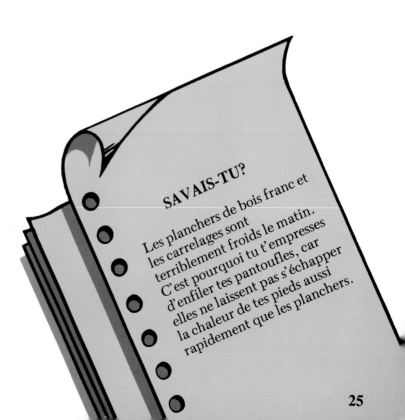

SAVAIS-TU?

Les planchers de bois franc et les carrelages sont terriblement froids le matin. C'est pourquoi tu t'empresses d'enfiler tes pantoufles, car elles ne laissent pas s'échapper la chaleur de tes pieds aussi rapidement que les planchers.

LES POULIES

Lever et baisser un drapeau n'exigent aucun effort. Étendre le linge sur la corde est une détente. Qu'est-ce que ces travaux ont en commun? Des cordes et des poulies. De quelle façon les cordes et les poulies facilitent-elles le travail?

LANCE UN DÉFI À TES AMIS

Matériel:
- deux balais
- deux amis
- une longue corde

1. Attache une extrémité de la corde à l'un des balais. Ensuite, passe la corde autour de l'autre balai pour aboutir sous le premier balai, puis refais ce mouvement de nouveau.
2. Demande à tes amis de tenir les balais tel qu'illustré, pendant que tu tiens l'extrémité libre de la corde.
3. Invite tes amis à séparer les balais pendant que tu les tiens ensemble en tirant sur la corde. Cette force soudaine étonnera tes amis!

VOICI POURQUOI: Avec une poulie, tu as beaucoup plus de force. Chaque boucle de corde fonctionne comme une poulie. Plus il y a de boucles, plus il est facile de maintenir les balais ensemble.

Maintenant fabrique deux poulies à l'aide des deux balais en mettant le poids sur le second balai. Attache ta corde au second balai tel qu'illustré, puis tourne la corde autour des deux balais. Tire sur l'extrémité libre de la corde. Sens-tu la différence?

Le fait d'utiliser une seule poulie pour soulever des objets ne facilite pas vraiment les choses. Soulève quelque chose du plancher sans l'aide de poulie. Maintenant, dépose un balai entre le dossier de deux chaises. Passe la corde autour du balai et attache-la à l'objet sur le plancher. Tire sur l'autre extrémité. Est-ce plus facile à soulever?

AU FAIT
Regarde attentivement une grue de construction. Peux-tu y compter le nombre de poulies? Essaie de voir combien de poulies se trouvent sur un camion-remorque ou une pelle mécanique. Ce sont ces poulies qui leur permettent de soulever des objets très lourds.

INCROYABLE MAIS VRAI!

Les poulies peuvent être utiles même dans les cimetières. L'homme le plus lourd qui ait jamais vécu pesait plus d'une demi-tonne, ce qui équivaut au poids moyen de sept hommes. À sa mort, on l'enterra dans une caisse de piano qui fut descendue par une grue.

GLACE—EAU—GLACE

Un matin d'hiver où la température aura atteint le point de congélation, regarde les pneus de la voiture de ton père. On dirait qu'ils se sont enfoncés dans la glace de l'allée, puis que la glace a gelé tout autour. Comment est-ce possible?

Matériel:
- un casier à glaçons (dont le séparateur est amovible)
- un grand plat
- du fil métallique mince
- trois briques

1. Retire le séparateur du casier que tu remplis d'eau. Mets-le au congélateur pour la nuit.
2. Enlève le morceau de glace du casier. (Fais couler de l'eau chaude sur les bords si tu as de la difficulté).

3. Place deux briques en position verticale dans le plat puis dépose le bloc de glace par-dessus. Attache le fil métallique autour du bloc de glace et suspends-y la troisième brique. Observe bien le fil métallique qui glisse à travers le bloc sans le briser.

VOICI POURQUOI: La pression qu'exerce le fil sur la glace fait fondre celle-ci juste assez pour permettre au fil de glisser jusqu'à ce qu'il touche la glace de nouveau. L'eau qui est au-dessus du fil regèle. Ainsi, le fil traverse le bloc de glace sans le fendre en deux.

SAVAIS-TU? Les patins à glace glissent sur une mince couche d'eau. En effet, la pression qu'exercent les lames quand tu patines suffit à faire fondre légèrement la glace, puis elle regèle aussitôt.

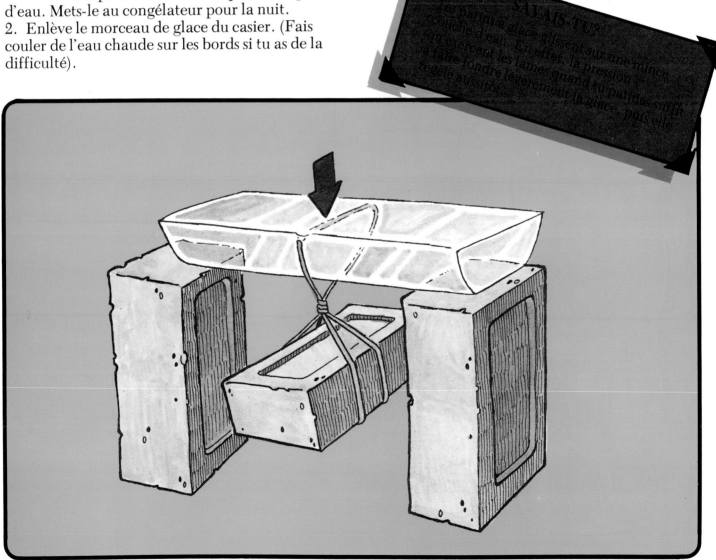

LA PRESSION ATMOSPHÉRIQUE

APPAREIL DE CONTRÔLE DE LA PRESSION ATMOSPHÉRIQUE

Tu ne remarques pas la pression atmosphérique à moins que tu te promènes en montagne ou que tu sois en avion. Or, même si tu ne peux la sentir, l'air exerce une pression constante. Comment peux-tu le démontrer?

Matériel:
- un gros pot de confiture vide
- une grosse bouteille au goulot étroit

1. Attends un jour pluvieux pour installer ton appareil de contrôle de la température, autrement dit un baromètre. Verse de l'eau dans le pot.
2. Place la bouteille à l'envers dans le pot de façon à ce qu'elle repose sur l'ouverture de celui-ci et que le goulot de la bouteille atteigne la surface de l'eau. Ajoute ou enlève de l'eau, si nécessaire.
3. Place ce baromètre à l'extérieur mais à l'abri (sous le porche par exemple). Observe le niveau de l'eau dans le goulot de la bouteille lorsque le temps passe du mauvais au beau puis de nouveau au mauvais.

VOICI POURQUOI: La pression atmosphérique qui nous entoure change constamment. Par beau temps, la haute pression atmosphérique pousse sur la surface de l'eau: l'eau monte donc dans le goulot de la bouteille. Quand le temps est incertain, la pression atmosphérique diminue, ce qui entraîne une baisse du niveau de l'eau dans la bouteille.

Regarde. Le niveau de l'eau monte. Je pense qu'il va pleuvoir aujourd'hui!

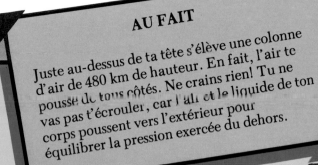

AU FAIT

Juste au-dessus de ta tête s'élève une colonne d'air de 480 km de hauteur. En fait, l'air te pousse de tous côtés. Ne crains rien! Tu ne vas pas t'écrouler, car l'air et le liquide de ton corps poussent vers l'extérieur pour équilibrer la pression exercée du dehors.

La pression atmosphérique est plus puissante que tu ne crois. Place une règle sur la table en laissant dépasser une extrémité. Étends une feuille de papier journal sur la partie de la règle qui est sur la table. Défroisse bien le papier. Si tu donnes un coup de poing sur l'extrémité de la règle, que se passe-t-il? Qu'est-ce qui retient le papier sur la table?

Veux-tu faire de la magie? Remplis un verre d'eau à ras bord. Dépose un morceau de carton sur le verre. En tenant le carton fermement, tourne le verre à l'envers au-dessus de l'évier. Lâche le carton. Voilà! Qu'est-ce qui pousse sur le carton afin d'empêcher l'eau de s'écouler?

SAVAIS-TU?

Sans pression atmosphérique, tu ne pourrais boire avec une paille. Tes poumons ne sont pas assez puissants pour siphonner l'eau de si loin. La pression atmosphérique t'aide car, en poussant sur la surface, elle fait monter l'eau dans la paille.

Voilà un truc qui étonnera tes amis. Dans le couvercle d'un bocal, perce un trou à l'aide d'un marteau et d'un clou. Introduis la paille dans le trou et bouche l'interstice avec de la pâte à modeler. Remplis le bocal d'eau jusqu'au bord, puis ferme solidement le couvercle. Maintenant, essaie de boire!

LE SON

VISUALISER LE SON

Imagine qu'il y a une fanfare qui tourne le coin de la rue. Tant que tu ne la vois pas, tu ne peux qu'entendre les sons graves, mais dès que tu l'aperçois, tu peux également entendre les sons aigus. Qu'est-ce qu'un son et pourquoi peux-tu entendre différents sons de différentes façons?

1. Coupe l'embouchure du ballon car tu ne t'en serviras pas. Étends l'autre partie du ballon fermement sur l'une des ouvertures de la boîte de conserve. Maintiens le ballon en place avec l'élastique, puis à l'aide du ruban adhésif colle tout le tour du ballon à la boîte de conserve.

2. Colle le morceau de miroir sur le ballon à environ un tiers du bord.

3. Braque la lampe de poche en biais sur le miroir. Fais en sorte de voir la réflection du point lumineux du miroir sur le mur.

4. Tiens la boîte parfaitement immobile. Chante ou crie dans l'ouverture, puis observe le point lumineux sur le mur.

Des vibrations différentes produisent des sons différents. Chante une note basse dans la boîte puis chante une note haute. Quelles vibrations sont les plus rapides? Mets une quantité d'eau différente dans quelques verres. Frappe les verres avec une cuillère. Lequel produit le son le plus haut? Le son le plus bas? Les vibrations hautes, donc lentes, sont transmises plus loin que les vibrations basses, donc rapides. Va dans une autre pièce pendant que quelqu'un frappe sur les verres. Quels sont les sons les plus distincts, les sons graves ou les sons aigus?

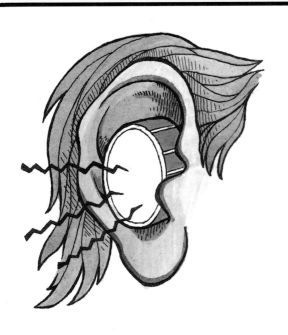

AU FAIT

Ton tympan est tendu à l'intérieur de ton oreille tout comme le ballon sur la boîte. Quand les vibrations du son atteignent le tympan, il vibre. Les vibrations sont dirigées vers un endroit où elles sont transformées en signaux qui se rendent à ton cerveau. Les signaux te disent ce que tu as entendu.

DE GRANDS HOMMES DE SCIENCE

IL N'EST JAMAIS TROP TARD POUR BIEN FAIRE

En 1642, le jour de Noël, un bébé naquit prématurément. Il était tellement chétif qu'on ne croyait pas qu'il vive même un seul jour. Or, le bébé survécut et devint un génie. Il fut fait chevalier pour son travail sur l'optique et la gravitation, et fut très admiré des poètes, philosophes et scientifiques. Lorsque cet homme de génie mourut à l'âge de 85 ans, il fut enterré dans l'Abbaye de Westminster. Son nom? ISAAC NEWTON.

$$Y = 2^2 + \sqrt{23}$$
$$X \times 10^{10} = 7.25 + 16$$
$$\div 1.03 = X - 3$$

UNE QUESTION DE CHANCE?

LOUIS PASTEUR est célèbre grâce à ses expériences sur les microbes. Mais il aurait probablement dû être décoré pour son courage et sa ténacité. À l'époque, la rage était une maladie mortelle. Louis Pasteur espérait découvrir une cure. Un jour, on lui amena un jeune garçon âgé de neuf ans. Il avait été mordu par un animal atteint de la rage. On avait perdu tout espoir de guérison. Pasteur avait inventé un vaccin contre la rage, mais il n'en avait jamais fait l'expérience sur un être humain. Devrait-il prendre le risque? Il injecta le vaccin au jeune garçon et pria que l'expérience réussisse. Ce fut un succès!

PILE OU FACE

Les premières réussites en aviation sont dues à ORVILLE et WILBUR WRIGHT. Ils ont fait leurs débuts dans un magasin de bicyclettes. L'intérêt qu'ils avaient pour le mécanique les amena à inventer le premier avion muni d'un moteur. Mais il y avait un problème; lequel des deux piloterait le premier? Ils décidèrent de tirer à pile ou face. Wilbur gagna mais il endommagea l'avion pendant l'essai. Ce fut donc le tour d'Orville dès que l'avion fut réparé. Ainsi, même s'il avait perdu à pile ou face, Orville Wright fut celui qui accomplit le premier vol aérien.